Danse, Tania !

ISBN - 2.21763011.3

Publié pour la première fois en 1989
par Philomel Books, un département de
The Putnam & Grosset Group, New York, NY 10016,
sous le titre “ Dance Tanya ”.

Traduit de l'américain par Catherine Chicandard

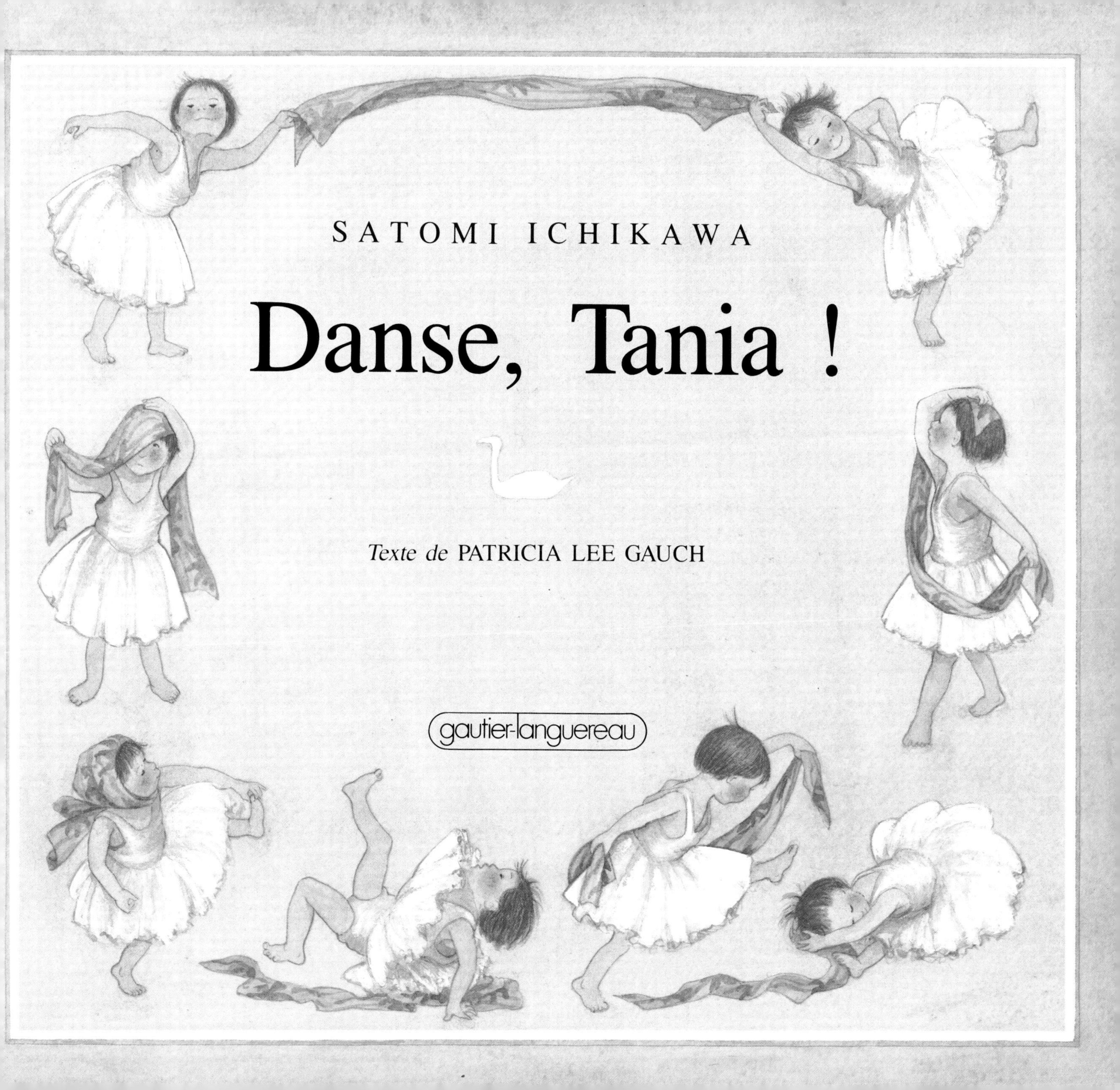

SATOMI ICHIKAWA

Danse, Tania !

Texte de PATRICIA LEE GAUCH

gautier-languereau

Pour Claudine et Anne
qui aiment la danse

La petite Tania adorait la danse.

Quand Elise, sa sœur aînée, enfilait son justaucorps pour s'exercer, Tania mettait une petite chemise et enlevait ses chaussures pour faire comme elle.

Quand Elise prenait ses positions — première, seconde, quatrième et cinquième — Tania l'imitait.

Quand Elise exécutait un plié parfait, Tania en faisait autant.

Quand Elise s'exerçait à des pirouettes et des arabesques, Tania l'imitait aussitôt. Elle aimait particulièrement les arabesques.

Quelquefois Tania aimait danser seule,

ou danser un *pas de deux* avec son ourse Barbara.

Et lorsque sa mère mettait sur l'électrophone *le Lac des cygnes*, et qu'Elise exécutait une succession d'arabesques et de jetés d'un bout à l'autre du séjour, Tania mettait son tutu et faisait des arabesques et des jetés, elle aussi. C'était un très bon petit cygne triste, Tania.

Mais, quand Elise allait à son cours de danse, leur mère disait à Tania :

— Tu es trop petite, ma Tanette. Plus tard...

Alors Tania allait contempler sa sœur et les autres élèves derrière la grande fenêtre, tandis qu'elles faisaient leurs exercices sur le parquet de la salle de danse.

Au printemps, lorsque les fleurs ouvrirent enfin les yeux, Elise fut prête pour son récital de danse.

Elle mit son tutu neuf formé de grands pétales, du rouge à lèvres (ce qu'elle ne faisait jamais), un peu de fard sur ses joues, puis sa mère brossa soigneusement ses cheveux avant d'en faire une belle tresse.

Toute la famille vint voir Elise danser. Grand-père et grand-mère arrivèrent de la campagne. Tante May, qui ne quittait jamais son chapeau, et oncle Ernie, qui ne souriait jamais, étaient là aussi.

Tania essayait de voir, gênée par le chapeau de son voisin de devant. Sur la pointe des pieds, elle apercevait Elise, fleur merveilleuse, qui exécutait à la perfection tous ses pas.

Tania était aux anges, mais bientôt elle eut très sommeil.

— Vous avez une danseuse dans la famille ! murmura tante May quand ils quittèrent tous la salle, ses chapeaux et ses bavardages.

Tania ne l'entendit même pas, elle dormait à poings fermés.

De retour à la maison, quand on but du café en riant et en s'extasiant sur Elise qui était une si bonne danseuse, quelqu'un mit *le Lac des cygnes* sur l'électrophone et Tania s'éveilla.

Sans que personne ne s'en aperçoive, la petite fille enfila le tutu, prit l'écharpe et se mit à danser.

Seule, tandis que la musique s'élevait, douce et forte, elle fit un plié, une arabesque et cinq grands jetés au milieu de la pièce.

— Danse, Tania, dit sa sœur. Sa mère retenait son souffle. Grand-mère dit en regardant par-dessus ses lunettes :

— Vous avez *deux* danseuses dans la famille !

Tout le monde applaudit. Elise aussi.

Tania était un merveilleux cygne triste.

— Salue, ma Tanette, dit sa maman, et Tania salua.

Puis elle retourna s'asseoir sur les genoux de sa mère, comme un petit chat fatigué, et se rendormit.

Mais sa maman n'oublia pas. Le matin de Noël, Tania découvrit sous l'arbre un gros paquet. A l'intérieur se trouvaient une petite valise, un justaucorps et des chaussons juste à sa taille.

— Viens, Tanette, lui dit sa mère quand ce fut l'heure du cours de danse d'Elise.

— Prends ta valise, ajouta sa sœur.

Et Tania sut qu'elle n'était plus « trop petite ».

Dépôt légal: Octobre 1990 · N° d'Éditeur: 5911
Imprimé en Italie